C000082686

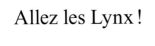

Allez les Lynx !

À la mémoire de mon grand-père, Raymond
E.T.

© 2010 Éditions Nathan - (Paris-France), pour la première édition
© 2014 Éditions NATHAN, SEJER,
92 avenue de France, 75013 Paris, pour la présente édition
Loi n° 49-956 du 16 juillet 1949 sur les publications destinées à la jeunesse,
modifiée par la loi n° 2011-525 du 17 mai 2011
ISBN : 978-2-09-255266-7
N° éditeur : 10274258 - Dépôt légal : juin 2014
Achevé d'imprimer en avril 2021 par Pollina (85400 Luçon, Vendée, France) - 98058

EMMANUEL TRÉDEZ

Allez les Lynx !

Illustrations de Clément Devaux

Ancien joueur de foot professionnel, **Raymond** a accepté d'entraîner les Lynx et compte bien les emmener en finale de la coupe !

Calme, toujours de bonne humeur, **Luigi** est le capitaine et le meneur de jeu de l'équipe.

Plop vient de la planète Kawa. Même s'il est trop modeste pour le reconnaître, c'est un excellent gardien de but.

Enguerrand est une encyclopédie du football. Sur le terrain, hélas, il est trop souvent trahi par ses pieds !

Malik est un garçon très doué.
Pour l'école comme pour le foot.
Mais il ne faut pas trop lui demander
de travailler !

Morgane est la preuve
vivante qu'on peut être
une jolie fille et savoir
jouer au foot.
Elle jongle et dribble
mieux que n'importe
qui dans l'équipe.

Beau garçon, sûr de lui,
Ben attire les filles
comme des mouches.
C'est un cancre à l'école,
mais un génie du football.

Zac est le meilleur ami de Luigi.
Au foot, sa motivation parvient
parfois à faire oublier ses kilos en trop.

un

La proposition d'Enguerrand

En ce 3 octobre 2182, à l'école Victor-Tillon de Tipari, c'est l'effervescence : la première coupe de mini-foot de l'école débute dans dix jours, et tout le monde ne parle plus que de ça.

Zacharie et Luigi, eux, ne sont pas pressés que le tournoi commence ; ils n'ont pas encore d'équipe !

Le garçon rondouillard avec les cheveux raides qui lui font comme un rideau devant les yeux, c'est Zacharie. Aucune équipe ne veut de lui à cause de ses kilos en trop… et de ses deux pieds gauches !

Le grand brun, c'est Luigi. Doué pour tous les sports de balle, il joue particulièrement bien au foot. Et s'il ne fait pas encore partie d'une équipe, c'est uniquement parce qu'il ne veut pas abandonner Zac.

Justement, ce matin-là, Jérôme, un gars du CE2 B, lui a proposé de le prendre dans son équipe. Tandis qu'ils entrent en classe et s'installent devant leur écran tactile, Zacharie l'encourage à accepter.

– Et tu crois que je vais te laisser tomber, Zac ? Pas question !

– Sois pas bête, c'est peut-être ta dernière chance de participer à la coupe de l'école.

– Inutile d'insister, je ne jouerai pas sans toi.

Devant eux, au premier rang, Enguerrand a tout entendu. D'habitude, lorsque l'éternel premier de la classe se retourne vers eux, c'est pour leur demander de parler moins fort. Pas cette fois.

– Les gars, j'ai la solution à vos problèmes : vous n'avez qu'à faire équipe avec moi !

Luigi ne peut s'empêcher d'éclater de rire.

– Tu parles d'une solution, Enguerrand! s'exclame-t-il. Tu joues comme une patate!

Enguerrand est une encyclopédie vivante du football : il connaît le palmarès des principaux clubs du monde, la carrière de la plupart des joueurs, les scores de dizaines de matchs ; il peut même citer le nom de plusieurs footballeurs des siècles derniers comme Michel Platini ou Zinedine Zidane. Bref, dans une conversation sur le foot, il est imbattable. Mais balle aux pieds, il ne vaut pas un clou !

– Peut-être que je joue mal… mais vous n'avez personne d'autre !

deux

Bientôt une équipe !

Eₙɢᴜᴇʀʀᴀɴᴅ ɴ'ᴇsᴛ ᴘᴀs ᴅᴜ ɢᴇɴʀᴇ à baisser les bras à la première difficulté. À la récré, il revient à la charge. Zac est en train d'engloutir un énorme pain au chocolat.

— Qu'est-ce que tu veux encore ? demande-t-il, la bouche pleine.

— Je ne vous ai pas tout dit : j'ai trouvé un quatrième joueur : Plop !

— Quoi ? Un extraterrestre ! s'étrangle Zac.

– Tu es raciste ou quoi ?

Plop vient de la planète Kawa. Comme tous les Kawoks, il a une bonne tête de plus que la plupart des élèves, il est chauve, il a la peau bleu foncé, des oreilles comme des soucoupes et quatre bras immenses.

– Non, mais… Il sait jouer au foot, au moins ? demande Zac, discrètement.

– Je ne sais pas trop, avoue Enguerrand. En tout cas, il assure au basket…

– Un champion de basket ! s'exclame Luigi. Ça, c'est une affaire !

– Alors, qu'est-ce que vous en dites ? s'impatiente Enguerrand.

Luigi hésite. Après un long silence, il finit par répondre :

– Qu'il y a encore trois joueurs à trouver !

Chaque équipe doit en effet comporter sept joueurs – cinq titulaires et deux remplaçants – et un coach : obligatoirement un adulte.

Tandis que les enfants se tapent dans les mains pour sceller le pacte, un ballon roule vers eux. Zac s'apprête à le rendre aux garçons qui jouent dans la cour, mais Morgane, une fille du CE2 C, le devance. Elle lève le ballon d'une pichenette et enchaîne une quinzaine de jongles avant de le renvoyer. D'une demi-volée impeccable.

Les garçons se regardent, stupéfaits. Ils connaissent tous Morgane de vue – c'est l'une des plus jolies filles de l'école ! –, mais ils ne savaient pas qu'elle jouait au foot.

– Est-ce qu'on peut prendre des filles dans l'équipe ? demande Zac.

– Bah, il n'y a rien là-dessus dans le règlement, fait Luigi.

– Alors il n'y a pas une minute à perdre ! conclut Enguerrand.

Aussitôt, tous les quatre se précipitent vers Morgane. Luigi prend la parole.

– Pourquoi tu ne joues jamais au foot dans la cour ?

– Je joue déjà en club, répond-elle. Dans une équipe de filles.

– Ça te dirait de faire partie de notre équipe pour la coupe de l'école ?

– Pourquoi pas ! Si vous voulez bien de moi…

Soudain, la sonnerie retentit. Les enfants se promettent de se retrouver après la cantine pour poursuivre le recrutement.

Tandis qu'ils rentrent en classe, Luigi, sous le charme, se confie à Zac.

– Tu as vu ses yeux ! C'est la première fois que je les regarde d'aussi près : elle en a un vert et un bleu !

Après le déjeuner, Luigi, Zac, Enguerrand, Plop et Morgane passent en revue les élèves qui n'ont pas encore trouvé d'équipe.

– Et si on proposait à Malik ? suggère Luigi.

– Tu es fou ! s'écrie Morgane. Il y a quinze jours, il a tabassé Armand. Ce n'est pas un hasard si personne ne veut de lui !

Plop prend aussitôt sa défense :

– Moi voil dispute. Almand plovoquer Malik.

Arrivé à Tipari moins d'un an auparavant, Plop ne parle pas encore très bien le français.

– Malik plesque pas toucher lui.

– C'est un bagarreur, je te dis.

– En tout cas, il se débrouille pas mal avec un ballon, non ? rétorque Luigi.

– On n'a qu'à voter, propose Enguerrand. Qui est pour le prendre dans l'équipe ?

Quatre mains se lèvent. Seule Morgane est contre.

– D'accord, concède-t-elle, mais je suis sûre qu'on va le regretter.

trois

Le nouveau

LE LENDEMAIN MATIN, en arrivant à l'école, Morgane affiche un sourire radieux : son grand-père, Raymond, veut bien être leur coach. Il a été joueur de foot professionnel, autrefois. Le problème, c'est qu'à trois jours de la clôture des inscriptions, l'équipe n'est toujours pas au complet !

Un peu plus tard, on frappe à la porte des CE2 A. C'est le directeur, monsieur Lapière.

– Les enfants, je vous présente Benjamin, votre nouveau camarade. Je vous demande de lui réserver le meilleur accueil.

Grand, beau garçon, Benjamin est habillé à la pointe de la mode et il a des cheveux très longs qu'il attache avec un élastique. Mais personne ne se risquerait à se moquer de sa queue de cheval ! Luigi et Zac se regardent : et si le nouveau jouait au foot ?

À la récré, Luigi et ses copains vont le trouver.

– Salut, Benjamin. Je m'appelle Luigi. Et voici Zac, Malik et Enguerrand.

– Salut. Appelez-moi Ben.

– Ça te dirait de faire partie de notre équipe de foot ?

– Ça dépend. Vous avez une bonne équipe ?

– Bien sûr, qu'est-ce que tu crois ! le coupe Enguerrand.

Sur ce, Morgane et Plop les rejoignent.

– Voici le reste des joueurs, annonce Luigi, mal à l'aise. Je te présente Morgane et Plop.

Ben explose de rire.

– C'est ça, votre équipe ? Vous ressemblez à tout sauf à une équipe de foot !

– Et toi, d'abord, tu joues bien ? demande Zac, vexé.

– Pas trop mal, à ce qu'il paraît, répond Ben, sûr de son talent.

– Toutes les équipes sont déjà faites, prévient Luigi. Sauf la nôtre.

– Tu es notre chance… mais nous sommes la tienne ! résume Enguerrand.

– Il faut que je réfléchisse.

En fait, Ben a bien trop peur de ne pas participer à la coupe. Tandis que les autres s'éloignent, il s'écrie :

– Eh, attendez ! C'est d'accord !

Mais il ne peut s'empêcher de soupirer :

– Quand même… Un binoclard, un rondouillard, une fille, un extraterrestre, ça promet !

Luigi et ses copains doivent encore trouver un nom pour leur équipe.

– Quelqu'un a une idée ? fait Enguerrand.

– Que dites-vous des Ornithorynques ?

– Quoi êtle, une olnitholinque ? demande Plop.

– Une sorte de puzzle vivant ! répond Enguerrand-la-science : un mammifère avec un bec de canard et qui pond des œufs.

– Avec un emblème pareil, enchaîne Morgane, on n'a aucune chance de gagner la coupe !

– C'est vrai ! Ce qu'il nous faut, affirme Enguerrand, c'est un animal qui ait de la classe, qui soit rapide…

– Comme la panthère ! suggère Zac. Ou le lynx.

– Il y a déjà une équipe de Panthères, observe Luigi. On n'a qu'à s'appeler les Lynx !

Cela semble plaire à tout le monde.

– Excellent ! conclut Luigi. À partir de maintenant, nous serons les Lynx de Tipari !

quatre

Le tirage au sort

Lundi 10 octobre, après la classe, toute l'école assiste au tirage au sort. À cette occasion, les Lynx font enfin la connaissance du grand-père de Morgane. Raymond ne correspond pas tout à fait à l'idée qu'ils se faisaient de leur coach : il a un ventre rond comme un ballon, de grosses lunettes, des sourcils broussailleux et plus un poil sur le caillou !

Avant de procéder au tirage au sort, le directeur explique l'organisation du tournoi.

– Les matchs auront lieu juste après l'école. Les élèves qui souhaiteront y assister seront dispensés d'étude pendant la durée de la compétition.

Cette annonce est accueillie par un tonnerre d'applaudissements.

– Les matchs se disputeront sur le terrain de handball en deux mi-temps de quinze minutes. En cas de match nul à l'issue du temps

réglementaire, on procédera à une séance de tirs au but. L'entraîneur pourra effectuer autant de remplacements qu'il le souhaite. Ce sont les enseignants qui arbitreront. Je vous invite à les applaudir !

Dans les gradins, des rires se mêlent aux applaudissements. Zac se tourne vers Luigi.

– T'imagines la prof de musique arbitrant un match de foot !

– Enfin, reprend le directeur, comme vous le savez, l'équipe qui remportera le trophée

de l'école rencontrera les autres vainqueurs de coupes de Tipari.

Au bout de dix minutes, les Lynx connaissent leurs adversaires : ils seront opposés aux Kangourous. Pour la première fois, Raymond réunit ses joueurs.

– Je ne vous ai jamais vus à l'œuvre, les enfants, et j'ai besoin de votre aide pour composer l'équipe. Qui se sentirait le plus à l'aise dans les buts ?

Tout le monde baisse la tête. C'est toujours comme ça : personne ne veut être goal !

– Bon, d'accord, se dévoue Morgane, j'irai dans les cages.

– Je n'en attendais pas moins de toi, ma petite fille. Et maintenant, voyons qui veut jouer en défense...

Plop et Enguerrand sont volontaires.

– Qui joue milieu ?

– Luigi ! s'écrie Zac. C'est le meilleur !

– Très bien. Luigi, te voilà meneur de jeu. Tu seras aussi capitaine !

Luigi acquiesce.

– Et en attaque ?

Zacharie, Malik et Benjamin lèvent la main.

– J'étais le premier dans l'équipe, fait valoir Zacharie.

– Pas d'objection, Malik ? Benjamin ? Parfait, Zac sera notre avant-centre. Nous avons notre « cinq » de départ. Mais rassurez-vous, on tournera !

cinq

Une sacrée déculottée !

Jeudi 13 octobre, vers 16 heures 30, les Lynx et les Kangourous gagnent le gymnase. Une fois que ses joueurs se sont mis en tenue, Raymond sort son stylet et modifie d'un clic la couleur de leur short et de leur maillot à cristaux liquides.

Les Lynx ont un maillot jaune tacheté de noir et un short noir – c'est une idée de Zac.

Bientôt, les deux équipes entrent sur le terrain sous les acclamations du public.

Toutefois, dans les tribunes, on ne semble pas prendre les Lynx très au sérieux.

– T'as perdu ton tutu, Morgane ?

– Rentre ton ventre, Zac !

Non, on ne donne pas cher de la peau des Lynx !

À 17 heures tapantes, l'arbitre, monsieur Wozniak – l'un des deux profs de gym – siffle le début du match.

Durant les premières minutes, les joueurs sont très crispés, et leurs passes imprécises. Ils perdent beaucoup de ballons.

À la quatrième minute, Joseph, l'avant-centre des Kangourous, réalise un superbe grand pont sur Luigi et tire au but. Plop, qui est sur la trajectoire, arrête involontairement la balle avec la main. Pas facile de ranger ses quatre bras ! L'arbitre siffle aussitôt un penalty.

Au coup de sifflet, Joseph s'élance et, du

plat du pied droit, loge le ballon sur la gauche du gardien. Morgane n'a pas pu esquisser un geste. Cela fait 1-0 pour les Kangourous.

Puis 2-0, deux minutes plus tard, lorsque Plop – encore lui ! – trompe son propre gardien sur une passe en retrait trop appuyée.

À la dixième minute, Enguerrand tente de prendre un ballon de la tête et perd ses

lunettes. Plop vient au secours de son copain et, crac, il trouve ses lunettes… sous ses baskets. Le Kawok a des pieds comme des péniches !

– Tes lunettes moi retlouver, fait-il, penaud.

Enguerrand est myope comme une taupe. Sans lunettes, il ne peut plus jouer. Raymond décide de faire entrer Malik à sa place. Mais à peine ce dernier a-t-il pris son poste que le public se met à le siffler.

Avec sa peau foncée, ses cheveux crépus et son prénom qui ne sonne pas d'ici, Malik a l'habitude que certains élèves le regardent de travers. Seulement, cette fois, c'est toute l'école qu'il a contre lui, à cause de l'histoire avec Armand. Chaque fois qu'il touche le ballon, les sifflets reprennent de plus belle. Impossible de bien jouer dans ces conditions ! À la treizième minute, il manque son dribble devant Gérald, le capitaine des Kangourous, qui récupère le ballon et shoote. La frappe est un peu molle et Morgane croit pouvoir l'arrêter facilement, mais le ballon lui passe sous le pied et termine sa course au fond des filets.

Raymond se tient la tête entre les mains.

– 3-0 ! On se prend la pâtée !

Peu après, l'arbitre siffle la mi-temps.

six

Tant qu'il y a de l'espoir !

RAYMOND A DEUX MINUTES pour remotiver ses joueurs.

– Les Kangourous sont prenables, vous pouvez encore les battre !

– À 3-0 ? objecte Malik.

– Bien sûr ! Seulement, il faut revoir l'organisation de l'équipe : Plop, puisque tu aimes bien te servir de tes mains, tu vas dans les buts ! Morgane, tu passes en défense avec

Malik. Ben, tu rentres à la place de Zac. C'est le moment de montrer ce que tu sais faire. Toi, Luigi, tu restes à ton poste. Mais tu te remues les fesses, hein?

Le match reprend. Le coaching de Raymond semble porter ses fruits. Morgane et Malik sont plus solides en défense. Luigi peut prêter main forte à son attaquant. À la cinquième minute, il réduit le score d'un tir puissant.

Deux minutes plus tard, en pleine confiance, ils inscrivent un nouveau but grâce à Ben, qui dribble les deux défenseurs avant de tromper le gardien. 3-2 pour les Kangourous.

Les Lynx continuent à assiéger la défense des Kangourous, mais ils ne marquent plus. Soudain, à deux minutes de la fin du match, Ben, dans l'axe des buts, passe la balle à Luigi qui la lui remet instantanément, dans le dos du défenseur central. Ben ne tremble pas et conclut ce magnifique une-deux par un but de l'extérieur du pied droit.

L'arbitre siffle la fin du temps réglementaire sur ce score nul 3-3. Les deux équipes vont devoir se départager aux tirs aux buts !

D'un joli tir du droit, Luigi prend à contre-pied le gardien. Gérald égalise d'un tir en force. Puis Morgane trompe le gardien d'une frappe en pleine lucarne. Marius remet à son tour les deux équipes à égalité, malgré un joli plongeon de Plop, qui manque de peu le ballon.

Comme depuis le début du match, une
partie du public siffle Malik tandis qu'il pose
son ballon sur le point de penalty. Décon-
centré, le pauvre garçon tire à côté. Joseph,
le buteur des Kangourous, tente alors une
Panenka, du nom d'un célèbre joueur tchè-
que du XXe siècle : une petite balle piquée,
au centre du but, censée passer au-dessus
du gardien. Seulement, Plop a des bras téles-
copiques. Il parvient à détourner le ballon
au-dessus de la barre transversale. Une
chance que Joseph ait voulu frimer !

Ben, le héros du match, ne veut prendre aucun risque : il tire en force sur le côté gauche du goal. 3 tirs au but à 2.

Le dernier tireur des Kangourous n'est autre que Franck, le gardien de but. Il s'élance, Plop est pris à contre-pied… mais le ballon heurte le poteau. Incroyable ! Cette équipe de bric et de broc a réussi à se qualifier pour les quarts de finale !

Les enfants se jettent dans les bras les uns les autres.

– Je suis fier de vous, les petits, leur dit leur entraîneur. Vous vous êtes battus comme des lions !

– Comme des lynx, rectifie Enguerrand. Les Lynx de Tipari !

TABLE DES MATIÈRES

Emmanuel Trédez

J'ai toujours beaucoup joué au football : dans les jardins publics, à la maison (au grand désespoir de mes parents pour la casse et de mes voisins du dessous pour les plongeons bruyants), mais j'ai toujours préféré le « foot de cour ». Au collège, à l'heure du déjeuner, on jouait sur le terrain de handball ; c'est les grands de troisième qui formaient les équipes. Au lycée, on réquisitionnait le terrain de basket et pour marquer, il fallait toucher le poteau. Une année, loin d'être favorite, mon équipe avait remporté le tournoi ! Aujourd'hui, j'ai moins l'occasion de jouer au foot, sauf parfois avec mon fils... quand il est d'accord !

Clément Devaux

Clément Devaux est né en 1979. Droitier, il est issu du centre de formation des Arts Décos de Paris. Depuis 2004 il évolue au poste d'illustrateur au sein des plus grands clubs, tels que le F.C. Nathan, l'A.C. Bayard, ou le Dynamo Gallimard. Joueur polyvalent, il compte à ce jour une quinzaine de réalisations en championnat, dont la BD *Anatole Latuile* en compagnie du duo d'attaque Anne Didier et Olivier Muller.

premiers romans

Hors-jeu pour Malik ?

Une série écrite par Emmanuel Trédez
Illustrée par Clément Devaux

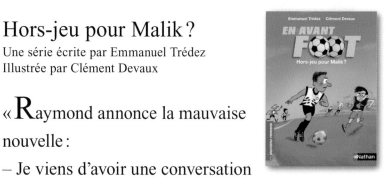

« Raymond annonce la mauvaise nouvelle :

– Je viens d'avoir une conversation avec monsieur Lapière, votre directeur. Les Kangourous ont déposé une réclamation : ils contestent le fait que Plop puisse utiliser ses quatre mains. On peut être obligé de remplacer Plop et de rejouer le match. Le directeur doit interroger la Fédération.

– Qu'est-ce que la Fédération vient faire là-dedans ?

– Tu sais qu'en ce moment même, chaque école de Tipari organise sa propre coupe de mini-foot. La question des joueurs extraterrestres concerne donc toutes les équipes. »

Les Lynx vont-ils pouvoir continuer la coupe de mini-foot ? Plop va–t-il devoir quitter l'équipe ?